ISBN 978-2-211-06903-8
Première édition dans la collection *lutin poche* : octobre 2002

Loi numéro 49 956 du 16 juillet 1949 sur les publications
destinées à la jeunesse : septembre 2000
Dépôt légal : octobre 2020
en France par Pollina à Luçon - 95328

Le Doudou méchant

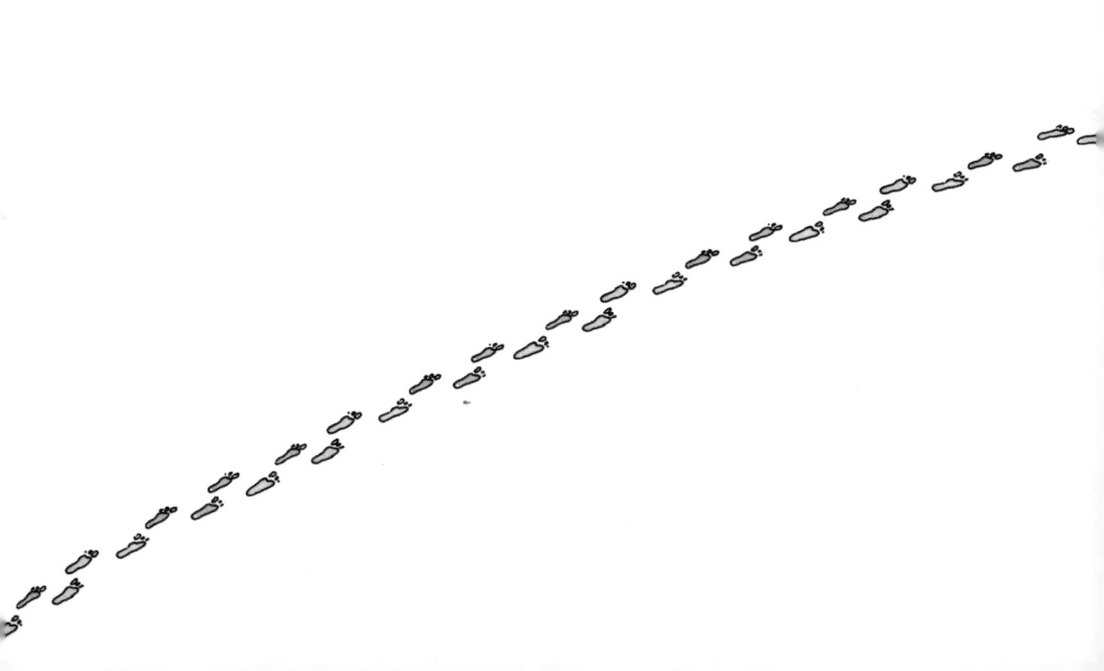

Claude Ponti

Le Doudou méchant

les lutins de l'école des loisirs
11, rue de Sèvres, Paris 6e

Un matin, en fouillant dans le grenier,
Oups trouve un Doudou.
Tout plat, tout triste et
tout abandonné au fond d'un coffre.

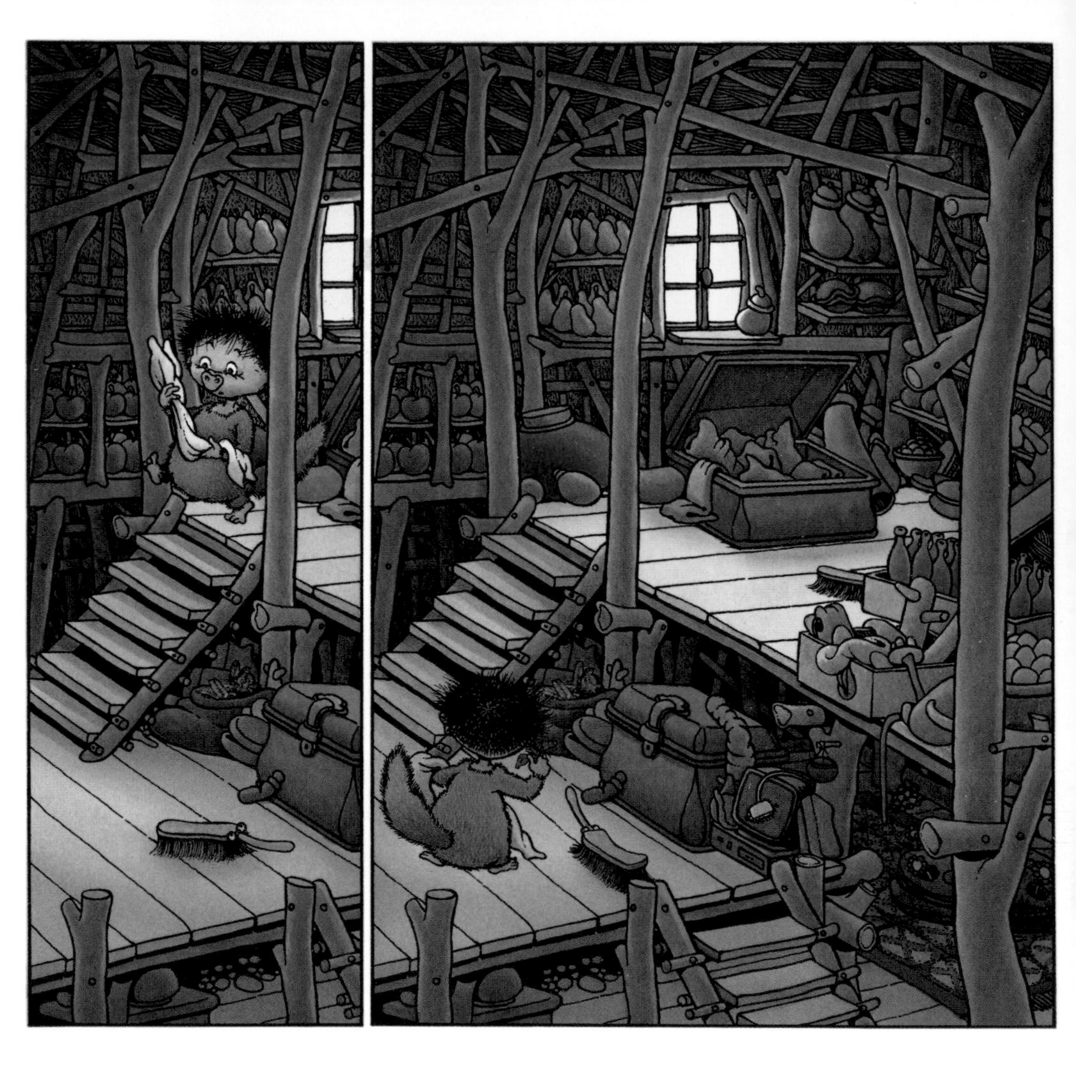

« Remplis-moi »,
murmure
le Doudou.

« Si je suis vide, je ne sers à rien. »
Oups prend des plumes
et remplit le Doudou.

Quand le Doudou est bien plein, Oups lui referme le dos.
Il se dit qu'il a beaucoup de chance
d'avoir un Doudou qui ne le quittera jamais.

À partir de ce matin-là,
la vie devient très agréable.
Le Doudou est très câlin,

il a toujours de bonnes idées
pour inventer des jeux,

pour trouver les chemins
où l'on se raconte des secrets
que personne ne connaît,

ou pour choisir
le meilleur livre à lire
avant de s'endormir.

« Oups, nous te confions la maison », lui disent un jour ses parents. « Nous n'avons presque plus de boulettes pour les Bouchanourrirs. Nous partons faire des provisions. Sois gentil avec les Blayettes, soigne bien les Bouchanourrirs. »

« Et surtout, ne t'approche pas de la tête de poisson.
Tu sais que c'est un piège du monstre Pêcheur d'enfants.
Tous les enfants qui l'ont touchée ont disparu. »
Oups promet de bien faire attention et ses parents s'en vont.

Le lendemain, le Doudou
grimpe sur un tabouret et dit :
« On va bien s'amuser, j'ai plein
de nouvelles bonnes idées. »

« D'abord, on jette
les dernières boulettes
aux Bouchanourrirs
du haut du plafond. »
« D'accord », dit Oups.

« Ensuite, on fait un concours de vitesse avec les Blayettes. » « C'est moi qui vais gagner », dit Oups.

« Et on joue au tondeur de fesses de Blayettes pour voir si elles s'enrhument. » « Bouge pas, petite Blayette », dit Oups.

« On prend le porte-nez de monsieur Pachinose. »
« Ça fera un beau perchoir à Blayettes », dit Oups.

« Et on trempe le perchoir dans la soupe d'harissa bouillante au poivre pointu, et on met les Blayettes dessus. »
« Attention, les Blayettes, ne tombez pas ! » dit Oups.

« On vole la sussouillette du petit Migou-Louyou.
Elle lui colle aux doigts.
C'est pour ça qu'il ne la prête jamais. »
« C'est moi qui goûte en premier », dit Oups.

« Et on vide les ordures pourries pleines d'épluchures
de crottes de nez moisies sur le magasin
du marchand de légumes frais. »
« N'oubliez pas d'arroser, monsieur ! » dit Oups.

« On crie de toutes nos forces
dans la grande oreille droite de monsieur Dorlejour. »
Oups crie de toutes ses forces :
« Bouh ! C'est ton cauchemar qui te parle ! »

« On arrache les pierres du chemin.
On n'en laisse pas une seule,
pas même les mamans, pas même les bébés. »
« Ni les grands-pères, ni les grands-mères ! » dit Oups.

« On cache la sussouillette dans la tête de poisson. »
« Et je la mets tout au fond ! » dit Oups.

Hélas, quand Migou-Louyou enfile la tête de poisson pour reprendre sa sussouillette…

… il est emporté dans les airs.
Enlevé par
Grabador Crabamorr,
le monstre Pêcheur d'enfants.

Les gens du village
qui ont tout vu
deviennent furieux
d'un seul coup.
Affolé, Oups s'enfuit.

Comme il n'y a plus de chemin,
Oups court droit devant lui.

Il court sans s'arrêter
par-dessus les plaines
et les collines…

… jusqu'au sommet perdu d'une montagne complètement chauve où rien ne pousse jamais.

« Réveille cette montagne », dit le Doudou,
« je n'ai pas sommeil. »
Oups réveille la montagne. D'autres montagnes
qui dormaient par là se réveillent aussi.

« Fais-les danser ! » dit le Doudou.
« Dansez, dansez, les montagnes ! » crie Oups.
Et les montagnes se mettent à danser.

« Maintenant, qu'elles se battent ! » dit le Doudou.
« Battez-vous, battez-vous ! » crie Oups.
Et les montagnes se battent.
Leurs poings, leurs pieds de pierre éclatent sur leurs visages.
Leurs nez, leurs dents, leurs os craquent et se brisent.

Elles se démolissent, s'écrabousillent, s'emmeurtrissent,
se concassassinent.
Elles explosent.
Et le monde entier explose avec elles.

Quelque part plus tard,
il n'y a plus rien.
Plus de matin, plus de soir,

juste une pluie
de morceaux du monde
qui tombe sans bruit
sur un désert de ruines.

Couché parmi les brisures
d'arbres et les débris
de maisons, Oups dort,
assommé.

Au loin, sur l'horizon,
trois géants s'approchent.
Ils cherchent leur sœur,
la montagne chauve.

Ils trouvent Oups. Ils le regardent et chuchotent :
« C'est lui qui a fait tout ça ? »
« Il est si petit, comment est-ce possible ! »
« Regardez comme il dort, il a l'air si fragile ... »

Ils ramassent les morceaux de leur sœur
et s'en vont chercher un endroit pratique
pour la reconstruire.

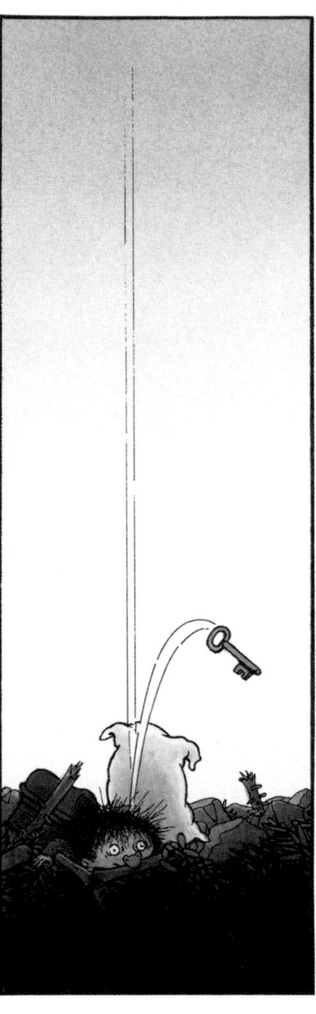

Oups
et le Doudou
se réveillent
au moment où
un coffret,

une clé et
un Sparadra
des Îles
leur tombent
dessus.

« J'en ai assez de
tes bonnes idées ! »
dit Oups au Doudou.
« Je ne veux plus
t'écouter. »

Après avoir fermé la bouche
du Doudou,
Oups ouvre le coffret.
Il est plein de traces
de pas qui s'envolent.

Oups prend le Doudou
sous son bras
et suit les traces de pas…

Il marche au-dessus du désert
de ruines, traverse une forêt
de fourchettes, de cuillers
et de couteaux…

… et arrive directement
chez Grabador Crabamorr,
le terrible monstre
Pêcheur d'enfants.

Et Grabador Crabamorr lui crie de sa voix de ferraille tordue :
« Si tu réussis à faire tout ce que je te demande sans te fâcher,
tu seras libre. Mais, si tu te fâches, même une seule fois,
je te mangerai avec les autres enfants. »

« Prends cette éponge de pierre
et nettoie ma forêt de couverts. »
Puis il demande :
« Tu es fâché ? »

« Non », répond Oups.
Et il s'en va
nettoyer les couverts.
Il y en a des millions…

… car Grabador Crabamorr
ne se sert jamais deux fois
des mêmes couverts.

Quand Oups a terminé,
Crabamorr lui ordonne d'aller
chercher la dernière miette
de son premier repas.

Puis
il demande encore :
« Tu es fâché ? »
« Non »,
répond Oups.

Et il part chercher
la miette.
Il fouille partout,

soulève
chaque débris,
chaque morceau
de ruine.

Quand il l'a trouvée,
il la donne
à Crabamorr,

qui la jette
et lui dit : « Prends
cette cruche percée
remplis-la
avec l'eau…

… d'une source
tarie. » Il ricane
et demande :
« Tu es fâché ? »

Oups ne répond pas
et casse la cruche.

Alors là, c'est Crabamorr
qui se fâche. Il se fâche
du bout des doigts des mains
jusqu'au bout
des doigts des pattes.

En une seconde, il se désarticule, se ratatine et se met à cuire dans sa carapace comme dans une casserole.

Et comme le Crabamorr cuit est délicieux, Oups organise
un grand repas pour le manger.
Avec les enfants, qui sont tous sauvés, avec les géants,
avec la montagne chauve...

… reconstruite (mais encore un peu secouée), avec le Doudou
et sa Doudouc (qu'il a rencontrée page quarante et une).
Et pendant ce temps, le monde entier
se refait doucement, petit à petit.

Au cours du repas, Oups
a vu quelque chose de bizarre
au travers du Doudou. C’est
une plume en fer mélangée…

… aux vraies plumes.
Oups se dit qu’elle devait faire
mal depuis longtemps
à l’intérieur de son Doudou.

Il pense que c'est sûrement à cause de cette plume en fer
que le Doudou
a eu de mauvaises bonnes idées.
Soudain, des Zoizeaux Zeureux arrivent.

Ils montrent le chemin du retour en faisant des piriolles
et des cabriettes dans le ciel.

Au bout du chemin, il y a le village encore endormi
dans un nouveau matin tout neuf.

Dans l'après-midi, le Doudou a une vraie bonne idée gentille.
Il invente des sussouillettes inusables, à parfum variable
et manche incollable.

Le soir, Oups voit ses parents revenir
avec un gros chargement de boulettes
pour les Bouchanourrirs et des cadeaux pour lui,
comme l'année précédente.

Et la nuit de ce soir-là, Oups s'endort avec son Doudou, sa Doudoue et leurs petits qui sont nés juste après le dîner.